LA mOScA

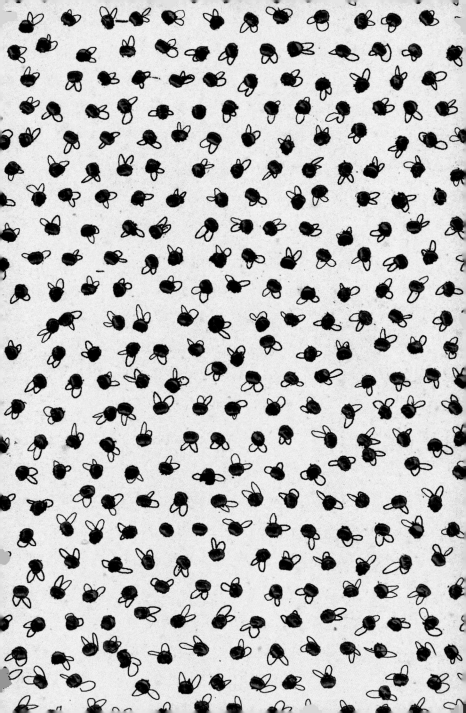

A Théo, mi corazón…

Este libro
está patrocinado
por crema
bronceadora
Ralli Brothers.

DIRECCIÓN EDITORIAL: Adriana Beltrán Fernández
COORDINACIÓN DE LA COLECCIÓN: Karen Coeman
CUIDADO DE LA EDICIÓN: Obsidiana Granados y Ariadne Ortega
FORMACIÓN: Sara Miranda

La mosca

Texto e ilustraciones D. R. © 2011, Gusti

PRIMERA EDICIÓN: febrero de 2012
SEGUNDA REIMPRESIÓN: abril de 2016
D. R. © 2012, Ediciones Castillo S. A. de C. V.
Castillo ® es una marca registrada.

Insurgentes Sur 1886, Col. Florida.
Del. Álvaro Obregón.
C. P. 01030, México, D. F.

Ediciones Castillo forma parte del Grupo Macmillan.

www.grupomacmillan.com
www.edicionescastillo.com
infocastillo@grupomacmillan.com
Lada sin costo: 01 800 536 1777

Miembro de la Cámara Nacional de la Industria Editorial Mexicana.
Registro núm. 3304

ISBN: 978-607-463-517-1

Impreso en México / *Printed in Mexico*

LA
mOScA

Gusti

Castillo de la lectura

—Ha llegado
el gran día. Hoy me
toca bañarme
—dijo la mosca.

Era una mañana
preciosa y la mosca
estaba muy,
pero muy contenta.
—¡Qué gran baño
me voy a dar!
—dijo.

Tenía todo lo que
una mosca necesita:

una bolsa,

un poco
de crema
bronceadora,

una toalla

y la pelota.

¡Perfecto!

Probó el agua,
para ver si era
de su agrado.

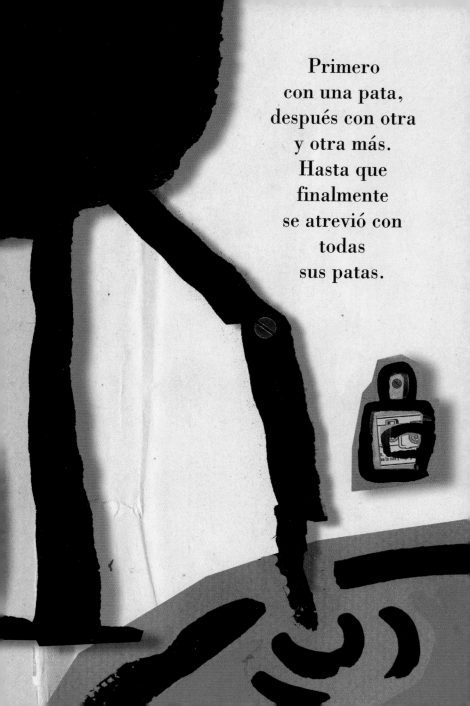

Primero
con una pata,
después con otra
y otra más.
Hasta que
finalmente
se atrevió con
todas
sus patas.

El agua
estaba tibia,
como a ella le gustaba.
Así que se dio
un buen chapuzón.

Mientras
se bañaba,
tarareaba
su canción
preferida.

Cantaba, bailaba
y daba de brincos…

¡Era la mosca más feliz
de todo el mundo!

Pero, de pronto,
el cielo empezó
a oscurecerse.

Llegó una noche
sin luna ni estrellas.
La mosca
permaneció quieta.
Alerta.

Un sonido atronador
le sacudió las alas.

Luego otro ruido,
y otro más.
Cada vez más intensos.

—Parece que viene
una tormenta
—dijo en silencio.

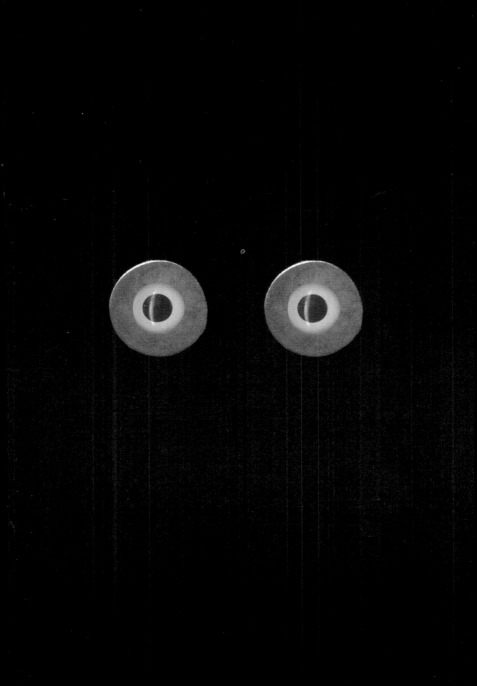

—¿Por qué
no traje
mi paraguas?
—se reprochó
mientras
miraba
hacia arriba.

((☯))

Y allí,
en las alturas,
vio algo terrible.

Grande,
grandísimo,
enorme como
un estadio
de futbol…

Y se dirigía
hacia ella.

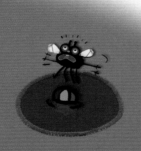

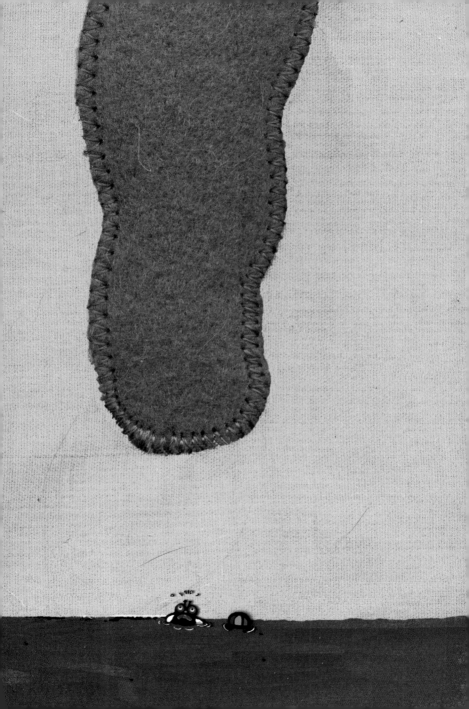

El meteorito
cayó en el agua
provocando
olas gigantes.

La mosca
intentó escapar,
pero sus alas
estaban
mojadas.

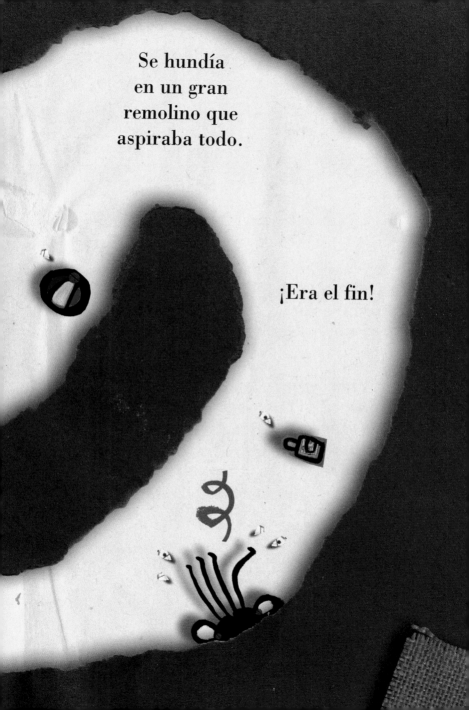

Se hundía
en un gran
remolino que
aspiraba todo.

¡Era el fin!

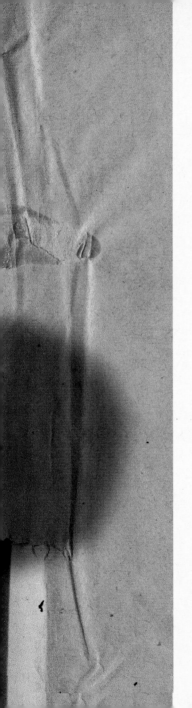

Sin embargo,
la mosca
logró escapar
volando como
un ala delta.

Después
de unos segundos,
se oyó una voz
que decía:

—¡Mamá, mamá!
He terminado.

Muy
enojada,
la mosca
prometió que
nunca más
se daría
un baño.
Porque
bañarse
puede
resultar muy,
pero muy
peligroso.

**Impreso en los talleres de
Grupo Gráfico Editorial, S.A. de C.V.
Calle B núm. 8, Parque Industrial Puebla 2000,
C.P. 72225, Puebla, Pue.
Abril de 2016.**